沈黙の艦隊

THE SILENT SERVICE

かわぐちかいじ

CONTENTS

アメリカ国連大使
リチャード・ローゼンバーグ
元上院議員

11月30日
ニューヨーク
14：00
国連本部
日本政府より
持ち込まれた
「やまと」事件を
解決するため
国連事務総長の
呼びかけにより

常任理事国の
米・ソ・英・仏・中
ほか理事国15ヵ国の
代表が
招集された

国連事務総長
ニュージーランド
大使　ジョージ・
アダムズ
ここに
国連安全保障理事会
緊急会議を
開会いたします

現在　太平洋において
日・米・ソの間で
大変憂慮すべき
問題が起きている
まず　日本政府より
この事件の
経過報告を
お願いしたい
ザ
ハッ!!

国家

VOYAGE 75

……以上が　両国の
重要な軍事機密に
ふれる部分を削除した
上での　事件の
経過報告です

アメリカ大使の
反論があれば
お聞きしたい

OK……
だ

事務総長
これはあくまで
日・米両国間の
問題に思われるが

イギリス政府と
しても
われわれ第3国が
関与すべき問題では
ないと判断する！

フランス政府も
この問題は
日・米両海軍内の
ゴタゴタであり
両政府が解決すべき
だと考える
事務総長の
判断は!?

私は この事件が単に日・米それにソ連を巻き込んだ利害問題にとどまらず

出席いただいた各理事国にも関係する 極めて危機的な問題をはらんでいると判断する

なぜなら……

事件が 世界に類を見ない優秀な原子力潜水艦が引き起こしたということにある
当然のごとく世界は海でつながっている この潜水艦はどこの国の領海にも出没可能だということを お考えいただきたい

しかも
重要なことは
この原潜に
残された武器が

核魚雷のみという
重大な事実が存在
することである

各国が慎重に
この問題を考慮し
対応を誤らないよう
はからねば
戦火は沖縄沖に
とどまることなく
全世界の海に及ぶ
と思われる
YORKER

ギ
慎重に
ご検討
いただきたい!

事務総長
提案があります

「やまと」は独立宣言を行った後日本に友好条約の締結を求める意思を表明した
事件解決の近道としてわが日本政府はこの条約を独立国「やまと」と結ぶべきだと
ちょっと待っていただきたい
「やまと」が独立国とは一体 誰が決定したのか!?

国家が登場してからの歴史をひもといてみても
1隻の艦船が国家だなどというおかしな話は聞いたことがない
「やまと」はなぜ国家なのか!?
領土はあるのか!?

領土はある！
排水量7000トンの艦体がそれだ

ならば外交を行う政府は？

当然国家元首は艦長・海江田であり
政府は航行を指揮する士官16名で構成する

艦を動かす60名の下士官が国民というわけか

男だけの……

ハハハ
バカげた話だ
領海は艦の外12カイリ しかも どこにでも移動できるというのか そんな勝手な話はない

では各国大使にお聞きしたい
「やまと」が国家でありえないという決定的な条件は!?
!!
…………

国家(ネーション)を
人間に安全を保証する最高の形態として考えるならば可能ではないかと思う……

国家とは一定の領土を持ちそこに居住する永続的人民がおりそれに対して有効的な
支配を及ぼしうる政府を持った政治的地域団体である

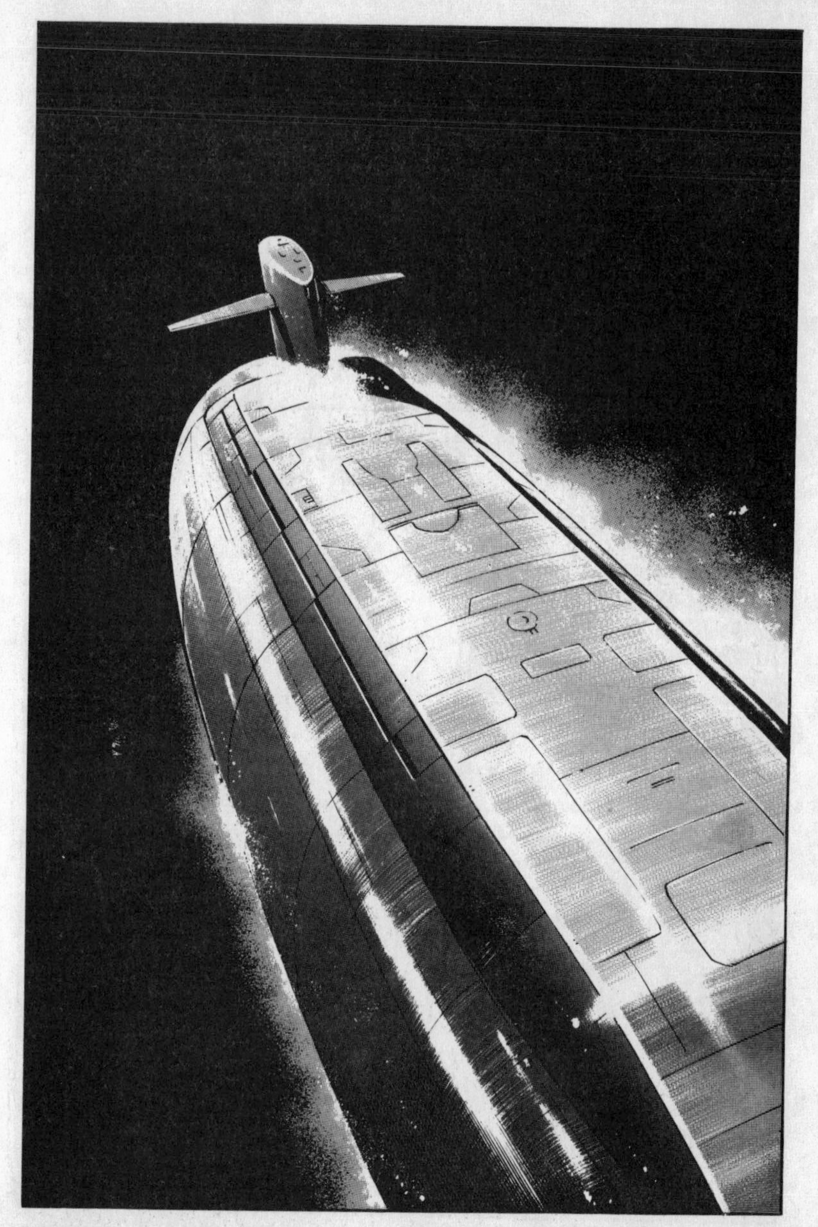

この3つの条件を
備え　しかも
他国との外交を行う
能力があれば
艦船といえど
国家として

どうやらこの事件は
われわれ人類が
かつて持ちえなかった
国家の新しい形態を
提示したと
考えられる

存在し機能
しえるのでは
ないか!!

詭弁だ……
その意思があり
機能を備えれば
原則として可能である!!

ならば　バスの乗員が
国家を宣言すれば
それだけでそのバスは
ハイウェイを走る
独立国家なのか!!

日本時間
11月30日
10：05
東京・永田町
わかっとるな
竹上くん……

プレスには
何を聞かれても
突っ込まれても
知らぬ存ぜぬ

わかっとる……
!!

ここは
打ち合わせ通り
忍の一字で
押し通してくれ
ポン

お待たせ
いたしました
TV

大丈夫
ですかネ
総理!?
大丈夫
いつになく
堂々としとる

まず　政府が国民に
同意をえずして
日・米共同の
原子力潜水艦建造に
踏み切っていたことを
ご報告します

すでに
ご承知のごとく
「やまと」……
いや　コード名
「シーバット」に
乗艦しているのは

元海上自衛隊
潜水艦
「やまなみ」乗員
竹……上

海江田四郎海将補
以下　士官・
下士官76名で
あります
そんな事後承諾が
何になる！
何のために国会が
あるんだ!!
充分な国会審議を
経ずして決定された
この計画を実行した
責任は
全て私にあります
総理　これは
明らかに
官民一体の犯罪
ではないか！

貿易立国の
わが国が将来を
考え
今後　わが国が
アメリカに頼ることなく
広大なシーレーンを
守るには原子力潜水艦が
必要だと判断した上での
決定です
バカヤロー！
非核3原則は
どうなったん
だ！
ガ
パ

「やまと」は
彼らの意志で
日本から
独立したの
です!!

独立国「やまと」を
宣言した
「シーバット」は
現在　米・ソ海軍から
攻撃を受けながら
わが国に
同盟を求めて
北上しつつ
あります！

政府の見解はどうなんだ
同盟を結ぶつもりか!!

「やまと」は通常魚雷はすでに射ちつくし残すは核魚雷のみなのだ

結べばアメリカだけじゃなく世界中の対日批判が今以上に高まるぞ!!

!!
では なおさら危険ではないか!

危険だ……米太平洋艦隊ですら「やまと」に撃破されてしまったましてわが国の力ではとうてい「やまと」を沈めることは不可能だ

そのような危険きわまりない潜水艦を建造してしまったわが国に対する批判は甘んじて受けよう!

だが
今は国民の全てが
「やまと」と日本の
とるべき最良の道を
考えねばならん!

のらりくらりの
竹上総理が……
この自信に
満ちた言動は
どういうことだ!?

抱えた問題の
大きさと舞台が
政治家を
作りやがった
……!

それで政府の
見解は!?
同盟なのか
非同盟なのか!!

わが
政府は
「やまと」と
同盟を結ぶべき
だと考える!

!
総理!!

その理由について……
今から述べる!

なぜ　わが国が
「やまと」と
同盟を結ばねば
ならないのか

それは……
わが国しか
世界を

核の災厄から
救えないからだ

米第3艦隊を破った
「やまと」は　現在
世界平和を脅かす敵として
大国の政府から撃沈を
狙われている！
「やまと」を
このまま
放置しておけば
必ず……

VOYAGE 76
国連安保理事会 I

どこかの海で核戦争が勃発(ぼっぱつ)する!!

どこかの国の
軍隊が
「やまと」を
攻撃したら……

「やまと」は自衛の
ため応戦するだろう
そしてその武器は
核魚雷しかない!
となれば
核には……核が
確実に
応射される!!

何にもまして
核戦争だけは
防がねば
ならぬ!!
広島・長崎において
世界で唯一
核兵器の恐ろしさを
体験した日本こそが!!

原子力潜水艦といえど「やまと」は食糧その他の補給の必要に迫られている……!ならば
彼らが同盟を求める日本が「やまと」を受け入れ〝危険な孤立〟を回避するべきではないか

同盟を拒否し「やまと」を世界の海に核を積んだまま漂流させてはならんのだ!
私は「やまと」が〝危険な孤立〟に陥らぬよう努めるのがそれを生み出した日本の責任だと信じる!
しかし世界が今一番恐れてるのは日本の核保有なんだぞ!

確かに……ハワイ会談でもアメリカ側から日本の軍事力の増大・右傾化につながるとの指摘があり強硬な反対にあった

だが核戦争の回避手段はこれしかない!

諸外国にも理解していただけると思うこれは日本の国家主義からではなく地球主義的な考えだと

勝手な言い訳はよせ!

あんたたちが造り出した原潜が勝手に反乱・逃亡したんだぞ!!
そのおかげで核の恐怖にさらされている外国にそんな理屈が通るか!

……諸外国に理解してもらうことは難しい　だがなんとしても信じてもらうしかない！

この考えが是か非か国民の同意を得るための国民総投票を行っても良い！

国民総投票!!

大きく出やがって……!!

当然世界中から激しい反発が起こるだろう
西側諸国も思い切った経済措置をとり日本に圧力をかけてくることが予想される
日本がより苦しい立場に立たされることも覚悟せねばならぬ

世界を説得できなければ日本が孤立する恐れは充分にある……だが　核戦争よりはまだ未来がある
各国の非難を恐れず
今は動かねばならん!!

早急に日本は「やまと」を孤立から救うべきだ!
危険な海へ「やまと」を放置すべきではない!!

ただし……もし
日本と「やまと」との
同盟が決裂した場合
「やまと」の核は
日本へ向けられることに
なるかもしれぬ……!!

ドド

以上 質問がなければこれで終わりたい
ザワ
政府はこれから緊急に国会を招集しこの問題を審議にかけたいと思う！

こりゃ大変だ！

記事をデスクに送れ 夕刊一面トップだ！
ハイッ

『「やまと」事件の真相!!』
『日本が核戦争の危機!!』『総理の決断は是か非か!!』

じゃ 島崎さん『官民一体政府の犯罪!!』『どうなる沖縄沖』は

差し替えだ これで一大キャンペーンを張るぞ！

独立宣言か何か知らんがどう考えたって「やまと」は犯罪者だ!!
ハ？
総理は勝手な理屈をこねてるが　そんなモノが同盟を結んで日本に来てみろ
米・ソの核が日本を狙い撃つのは目に見えてる！

「やまと」が独立国か否か……当事国アメリカ大使の意見は？

原潜が国家として
認められるかという
観念的な議論は
どうでもよい

日米合同の建造合意書に
「シーバット」は
米太平洋軍・第7艦隊
所属となっていることを
明確にしておきたい
「やまと」の領土である
「シーバット」の艦体は
明らかに米海軍のものだ

つまり「やまと」は
何の予告も行わず
米国の財産を
奪ったのだ！

これは
明らかに
犯罪である！

各国大使にお伺いしたい
国際社会においてこのような無法な犯罪を許すべきかどうか
国際法に反する軍事行動なのは「やまと」を拿捕(だほ)せんとしたアメリカ海軍か？

脱走した上にアメリカ海軍に魚雷攻撃を加えた「やまと」か？

理事会の判断をいただきたい！

フランス大使

「やまと」の行動が反乱及び乗っ取りという非合法行為である以上「やまと」への攻撃は正当であると考えます

わが中国政府も
同じく「やまと」は
適正な制裁を受ける
べきだと思います
バタタタ
今後　世界に
「やまと」を模した
核によるテロ事件を
起こさないためにも
「やまと」は絶対に
認めるべきではないと
思います！

乗っ取りが
航空機や普通艦船
ではなく　原子力
潜水艦であること
が問題です

フム……
その点は考慮
せねばならん
問題だ……

米第3艦隊への攻撃は
国連憲章第51条にある
「自衛権の行使」
として認められる

待って
いただきたい
「やまと」を
国家として認める
わが国の
解釈では

なんだと
……!

わが国が「やまと」の独立を認めるのは
感情論でも
観念論でもない

それが
最も現実的な
対応だからだ

現在われわれが
直面している
最も重要な問題は
何か!?
米太平洋艦隊をも
破った強力な原潜が
"核"しか持たず
太平洋に存在している
という事実です!

つまりこちらから
攻撃を仕掛ければ
必ず核によって
反撃されるのだ!

今「やまと」との交渉の余地があるとすれば「やまと」が唯一日本との同盟を表明しているということだ
つまり!!

日本以外に「やまと」とおだやかに接触しえる国はないということなのだ
それは 日本と「やまと」との密約が すでに成立しているからではないのか?
そんなものがあれば 誰もこんな苦労はしない!!

いいですか「やまと」が望んでいるのは
自らの独立と
寄港し得る港……だ

われわれに残された事件解決の手段は
日本との同盟を認め「やまと」を〝危険な孤立〟から救うことではないか!

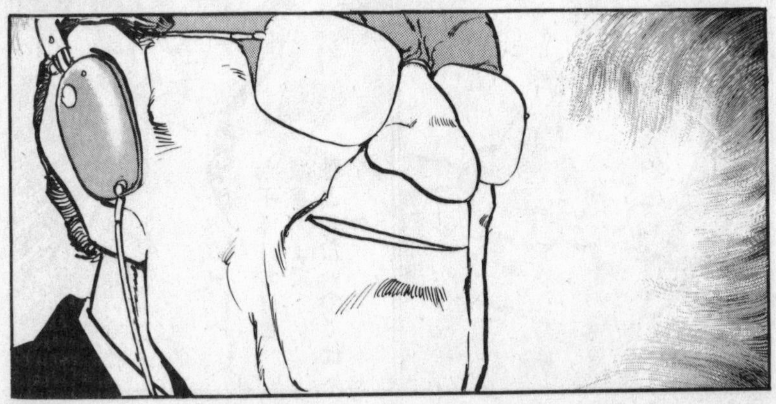

NO!!
日本は 勝手な理屈を
並べるだけで 何ら
信用に値する材料を
提示しない！

日本は「やまと」と
同盟することで
経済力のみならず
太平洋における
軍事力まで
独占したいのでは
ないか

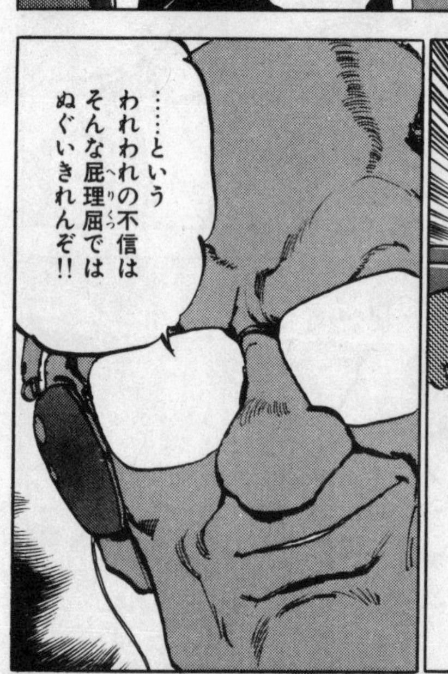
……という
われわれの不信は
そんな屁理屈では
ぬぐいきれんぞ!!

日本が「やまと」と
同盟することで
危険な国家に
なり得ないという
保証は
一体　どこに
あるのか!!
ド

日本は「やまと」と
同盟した後
「やまと」を武装解除
できますか？
具体的な
作戦は？

同盟を云々するなら
その具体的な作戦を
提示してもらいたい
ギ

VOYAGE 76 国連安保理事会Ⅰ／END

VOYAGE 77
国連安保理事会Ⅱ

日本は「やまと」と同盟した後
「やまと」の武装解除を行うことができるのか!?
その意思があるのか!?

その意思表明がなく　同盟を持ち出すのは
密約と判断されても当然である!

その明快な
提示がない限り
日本の「やまと」との
同盟案には
わがアメリカは絶対に
応じられない！
ダン

日本大使……
回答は？

残念ながら
日本政府には
「やまと」の武装解除は
約束できない

ジャパン・
イズ・
スニーキー！
(ずるい)

やはり日本人は
本音と建て前を
使い分ける
人種だな

違う！

そんな日本に
「やまと」を
スチール(盗む)
させるわけには
いかない

事務総長
わがアメリカは
日本の同盟案を
却下したい

各国大使の
意見は
どうか……？

フランス政府も
アメリカ大使の
意見を認めたい

イギリスも
同盟には
反対する
中国もです

わがドイツも
日本と「やまと」
との同盟は
認められない

事務総長
「やまと」が単なる
脱走艦で 日本に
保護を求めている
だけなら武装解除も
可能だろう

だが「やまと」は
防衛の意思を持った
独立国なのだ!!

まして彼らの真の目的も
まだつかめない今
武装解除せよと命じても
素直に応じるとは思えない
必ず衝突が起こる！
それに武装解除すると
しても　まず同盟の
受け入れを表明し
日本という安全な檻の
中に「やまと」を
追い込むことが
必要じゃないのか！

日本は覚悟が
あるのか？

当然だ
受け入れる
覚悟はある

違う！
「やまと」とともに
危険な犯罪国として
世界の敵視に耐える
覚悟だ！

「やまと」を日本がかくまい　ゴタゴタがあった場合
わがアメリカは世界の安全を考え　日本の先制核攻撃は許さないぞ

いっさい具体的な案が出ない日本にわれわれの時間を浪費されたくない
事務総長休会を提案したい

フム……

アメリカの提案に賛成の国は……？

ニューヨーク
ケネディ空港
12月1日 11:00

東42番通り
国連ビル
イエス・サー

いつ来ても
アメリカは
でかい国だ
これほど
文化も人種も
ゴッタ煮で

しかも　次世紀も
リーダーシップを
絶対渡すまいと
している国を
説得するのだ

一筋縄ではいかんぞ……
天津！

キャッ
!

どうなったんだ
理事会は!?
30分前に
休会した

休会だと!

アメリカ大使が
休会提案を出し
各国がそれに
賛成した

で!?

ド
!!
休会の理由は
なんだ!?

何ひとつ
進展せん!

「やまと」の
武装解除!?
それができる
くらいなら
とっくに
事件は解決
してる!

武装解除できないのは
日本と「やまと」との
間に密約があるのでは
ないかと疑われている
!

大国のエゴに
支配された
国連のダメな
部分がモロに
出てるな、

同盟案に対して
各理事国は
一歩も退かない
構えだ

空転するということは各国とも具体案がないという証拠だ
あるのは日本の同盟案だけじゃないか!

ローゼンバーグ米大使がカードを切ってきた「同盟するなら武装解除などの具体案を出せ」

「それが出なければ日本への先制核攻撃も辞さない」と!!

竹上総理も
国民に叩かれながら
同盟案を堅守
している

「やまと」が
日本へ向かって
いるとしたら
拒否なんか
できんぞ

安保理事会が
休会になったのは
不幸中の幸いと
せねばなるまい

「やまと」が現れる前に
「やまと」処理の
問答無用の具体案を
早急に
考えねばならん!

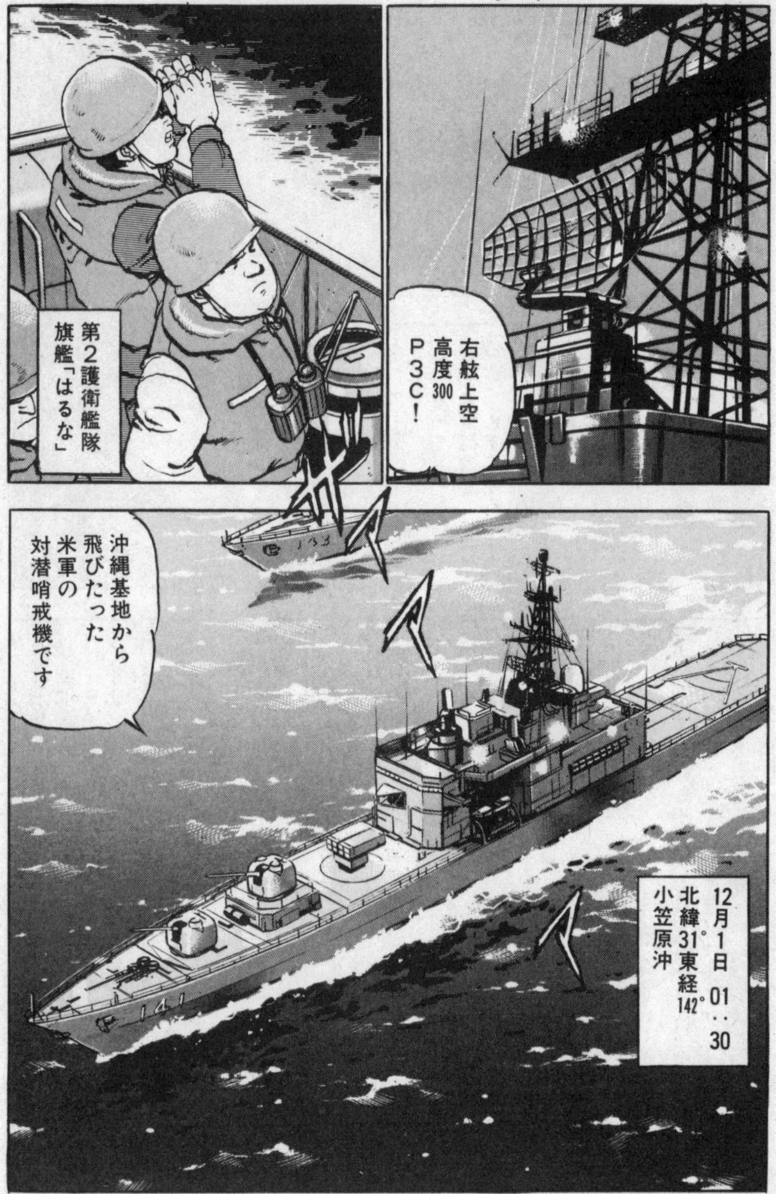
ゴオォ…ン
右舷上空 高度300 P3C!
第2護衛艦隊 旗艦「はるな」
12月1日 01：30
北緯31°東経142°
小笠原沖
沖縄基地から飛びたった米軍の対潜哨戒機です

ゴォォ
米海軍も必死の捜索ですな

いつ どこでドカンといくかわからんからな

しかしここに至っても上は本気で同盟を考えてるんですかネ

……日本に本当に現れたら……えらいことですよ

いつ爆発するかわからない原爆を抱えるようなものだ

日本に向かっているとすれば この深い小笠原海溝ぞいに北上してくるだろう……
できればこのまま深海に沈んだままでいて欲しいが……

とにかく
日本の領海での
「やまと」に対する
米・ソの攻撃を
阻止しなければ
ならん

ピ
ソノ・ブイ
No.3に
反応!!

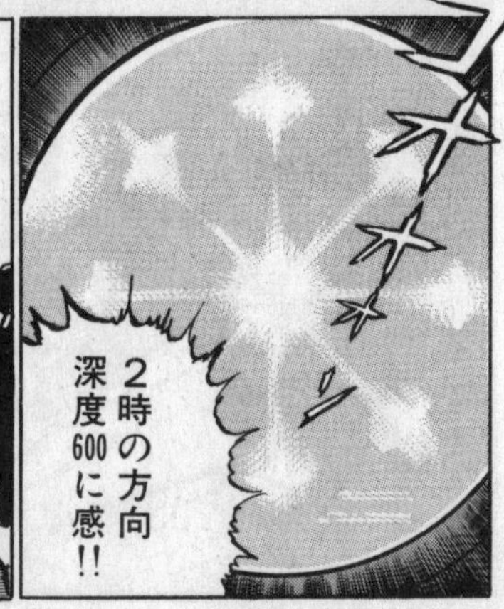
2時の方向
深度600に感!!

潜水艦です
!

哨戒機より「はるな」へ北緯30°東経142°の位置に 潜水艦発見！
海上自衛隊
ただちに艦の解析にかかります！

司令「たかつき」の哨戒ヘリが潜水艦を発見しました！

現在 音紋解析中!!

まずいな……「やまと」ならあの米軍のP3Cも発見した……

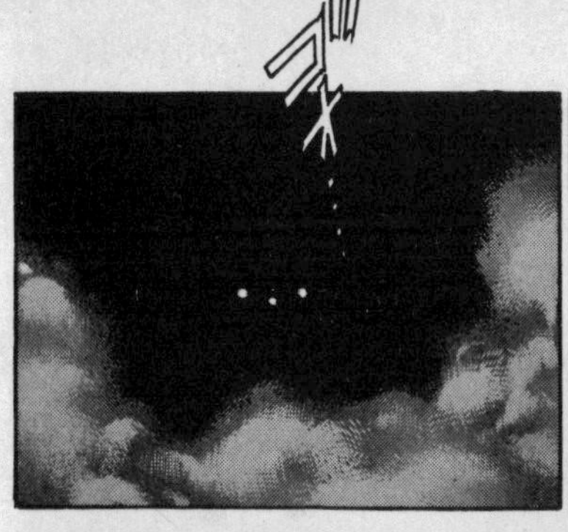

なに

「やまと」です
速度5ノットでゆうゆうと北上中!!

VOYAGE 77 国連安保理事会Ⅱ／END

「やまと」針路0―2―8変わらず!!
VOYAGE 78
針路0―2―8

ピ
ゴオオ……

深度600から650
相変わらず
5ノットの
微速潜航です
この速度ですと
パッシブ・ソナー効力
80%以上ですから
「やまと」はすでに
こちらを捕捉している
はずですが
何を
考えてるん
でしょう……!?

海図だ!!
ハッ
このまま速度を
変えないと
すると

約40時間で……
八丈島沖に達します
八丈島で止まるとは限らんぞ
ハ……
さらに同方向で同距離足を伸ばしますと
80時間後には相模灘から相模湾
ピタリ

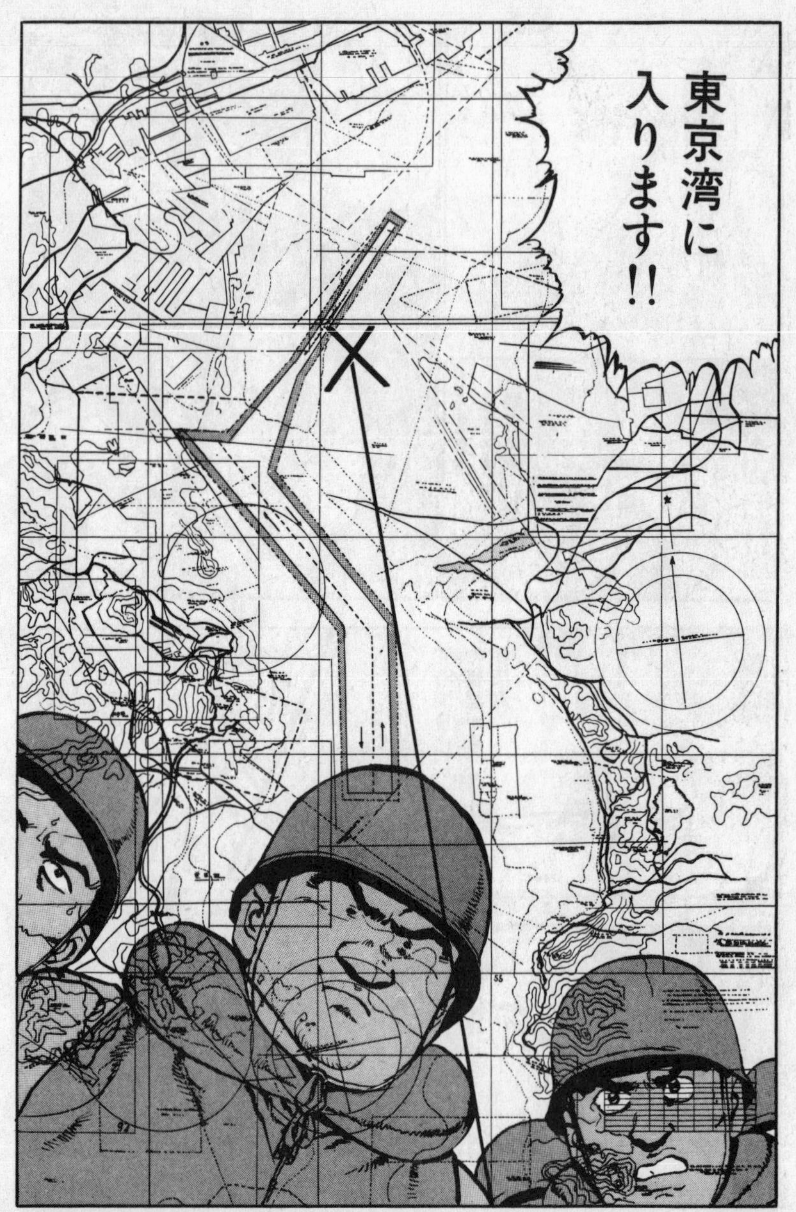
東京湾に入ります!!

東京……
湾!!

司令　先ほどの
米軍対潜哨戒機が
8の字を描いて
対潜捕捉態勢に
入りました!

横須賀
司令部へ
緊急打電だ!!
ハッ

各艦に連絡
対空防衛態勢を
とれ!
対潜ミサイル
迎撃
チャフの用意!!

80時間……
3日後に
東京湾!!
きさまらしい
戦術だ
海江田!!

ハッ!

ブォォ
NAVY

米第7艦隊の現在位置は!?

わが艦隊後方父島沖約2万メートルに展開待機中

米艦隊も動き出すだろう日本に向かって
攻撃をかけてきますかね!?
守るのが難しくなる
スキを見せたら攻撃してくると見た方がいい
米軍にしても東京湾で核がドカンといくのは望むまい

襲ってくるとしたらその前だ
!

ソナーより
艦橋へ
「やまと」が再び
潜航します!
深度650!

700!

奴を
失探(ロスト)しないよう
ソナー・
デシベルは
最大に上げろ!!

ハッ

!

ザァ。。。。。ァ。。。。

哨戒ヘリ3号機より「はるな」へ父島沖の米第7艦隊が動きます!!

針路は0—2—8!!
来たか……!
このまま一般船舶でごったがえす東京湾に入られたら……

収拾がつかない大混乱になりますよ!

海江田は

その混乱を
狙っているの
かも知れん!!

ザァァッッ
165
141

12月1日
02：02
東京・永田町
なに！

「やまと」が
小笠原沖に!!
横須賀司令部に
入った報告
ですと
現在
日本を目指し
北上中だそう
です
ハッ
このままですと
3日後には

東京湾!!
だとオ

総理 ただちに
海上自衛隊の
総力を挙げ
阻止するのだ!

相模灘に
対潜防止網を
張ったら
どうだ!
何か手は
ないのか!

ただちに 海上保安庁に連絡し相模湾を航行中の一般船舶に対し緊急規制を!

経済パニックより国民の安全を確保するほうが先だ!
国民が精神的パニックに陥らないよう適切な対応を図ろうではないか

オイルタンカーを全てシャット・アウトしてみろ日本は経済パニックになるぞ!!

ドン
寝呆けたことを言うな安全を考えるならまず「やまと」を東京湾に入れないことじゃないか

そうだ!!
あらゆる手段を使って「やまと」に通告したらどうだ!

東京湾は無数のガス・石油タンクを抱えた火薬庫だぞ!!

米・ソの攻撃があった場合ミサイル1本で核爆発だ
東京は全滅だぞ！1千万都民を全て避難させるのか!!

赤垣幕僚長 第1護衛艦群は 出動可能か?
ハッ 横須賀港に 待機しております

では 相模湾入口に 展開し 湾内外を 警戒するよう 出動させて くれたまえ
ハッ

総理 それは 「やまと」を 拒否すると 受け取って いいのだな
いや

あくまで 不測の事態に 備えての防衛 出動である!

「やまと」が
12月1日 17:50 ニューヨーク

3日後に東京湾だと!!

海江田めいきなり奥座敷に上がり込むつもりか

最悪のコースだ!!
東京湾に浮上されたら米・ソの破壊工作活動を防ぎきれないぞ

ミサイル……いや爆弾を抱えたダイバーがどこからでも近づける

それよりも……

東京湾に入れたらアメリカの言う「やまと」と日本との密約説を裏書きすることになる
そうなったら総会で何と言おうが世界の疑惑を晴らすことは不可能になる
くそ……よりによって東京湾とは……!

素直に通すわけには絶対にいかんな

だが「やまと」はなぜ小笠原沖で探知されるような浮上をしたんだ
ワザと知らせたとしか考えられん!

日本　それも東京湾に向かっているということを世界中に！

それで何をするつもりだ!?

とにかく東京湾に核のテーブルをセットして

世界をその席に着かせる気だ……!!

VOYAGE 78 針路0—2—8／END

漏水箇所はないか？
ハッ
深度900で外殻はキシミのひとつもありません
……
タフな艦だ……「ヴェラ・ガルフ」のあの攻撃でカスリ傷も受けないとは……

副長 あと3日ですネ 非常食はいささか食傷気味で
おう 新鮮な肉でもスシでもゲップの出るほど食えるぞ
艦長室
山中入ります！

VOYAGE 79
核のテーブル

ゴオ……
ゴオ……
護衛艦はこちらを探知しました 日・米両艦隊とも洋上追跡態勢に入っています

よろしい 針路・深度このまま
40番K550(ケッヘル)…… 歌っているのか嘆いているのか?
ハ?

ハッ……モーツァルトですか
陽気な絶望と絶望的な歓喜がここには同時に存在する

なんだか
頭が
爆発しそうな
気分ですな
パ
フム……
カシャ
これから
3日間　その気分を
日本も存分に味わう
だろう……
その日本が
わが国に　どう
接触を求めて
くると思うか……？

ハ……
護衛艦が洋上について
米艦隊を牽制している
ということは
東京湾に迎え入れる
のではないかと
いや……
米・ソと交戦状態に
あるわが国を
すんなり東京湾まで
入れるようでは
日本は法治国家として
とんでもなく子供だ
国際社会においては
失格者だ

われわれを国家として認めるなら条約締結の手続きを踏んでくる　まず条約締結場所の指定
次に非核3原則にのっとって本艦の武装解除

武装解除!!

友好条約とはいえこちらは核を装備した国だ憲法上当然だろう
もしその武装解除を日本が求めてきたらどうなさいますか!?

米・ソが依然わが国への攻撃をスキあらばと狙っている以上応じることはできん

それで日本が納得しない場合は?

納得しても
しなくても
われわれは……
東京湾に
入る！

日本は　今まで
経験のない
一触即発の
臨戦状態に
なるだろう

わが国と同盟を
結ぶ決意が
あるかどうか……
問わねばならん

その状態で
日本が何を
選択するか……

ソナーより艦長へ
スクリュー・キャビテーション
3つ 右舷後方
8000メートル
速力5ノット
キュ
キュ

752
米 ロス級
攻撃型原潜と
思われます!

武装解除に応じる
スキを見せたら
待ってましたとばかり
対潜ミサイルを
撃ち込んでくるぞ

米・ソともに
われわれが
東京湾に入り込めば
攻撃するのに不利と
わかっている

海上自衛隊
03
こちら横須賀基地
護衛艦「しらね」を
旗艦とした
第1護衛艦群が
出動します!

出港配置
錨揚げ！

舫解け！

取舵20°
微速前進!!

総理 02:50
横須賀港から
第1護衛艦群が
出港しました

そうか……
ご苦労……

明け方には
相模湾沖に到着
警戒任務に入る
そうです!

どう
なさるんです
総理
パニック覚悟で
都民にこの事実を
公表するつもり
ですか!?

街のようすはどうなんだ!?

まだそれほど騒ぎたててはおりません
ニュースを遠い国の出来事のように受け取っているようです

今朝の6時のニュースで私自ら国民に真相を話す!

もし 都民が危機を感じ

避難を求めるようなら

政府は まず都民の安全を確保するため避難の準備にかかる
そしてパニックを抑えるため全都に自衛隊を出動させる!

それじゃまるで……戒厳令だ!!

入れる!
だが……条件がある!!
では「やまと」を
東京湾へ入れるおつもりですか!?

東京湾に入る前に
「やまと」に対し
武装解除を
要求する

武装解除!!

あらゆる手段で
「やまと」に連絡をとり
条約調印場所を
東京湾の外に指定
強制浮上させる
それから
武装解除だ

それなら……
大島沖あたりが
よろしいかと

上手く浮上して
くれたとして
幕僚長　武装解除
の方法は?

ハッ
「やまと」に
自衛隊員が乗り込み
核ミサイルの
発射セットを
解除することです

よろしい
ただちに作戦にかかってくれたまえ
ハッ

武装解除するためには「やまと」の安全を保証しなければならん
第1・第2護衛艦群でスキがないよう護衛するのだ

ですが総理 万一浮上してきた場合米・ソから攻撃されるという危険が
当然……

私には確信がある「やまと」は必ず武装解除に応じる！

しかしあの「やまと」が武装解除に応じるとはとても……万に一つの可能性ですな

「やまと」は　あの
熾烈な戦闘を
かいくぐって日本に
向かっている
しかも
自らの危険を
かえりみず
東京湾へだ！

何かを……
伝えたいのだ

核をつきつける
必要はない
われわれには
その言い分を聞く
準備がある……と
「やまと」に
伝えようでは
ないか……！

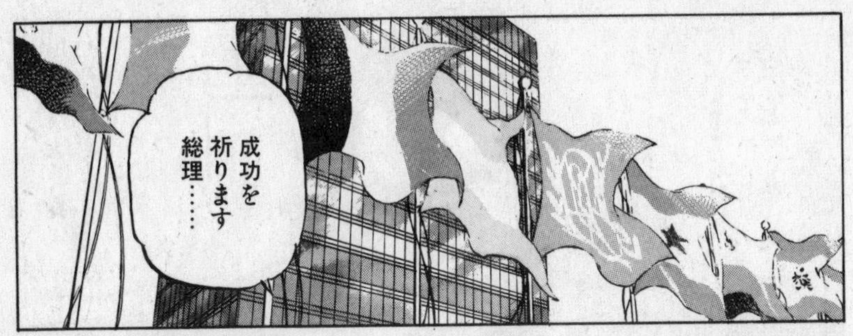
成功を
祈ります
総理……

ガチャ
武装解除……
万に一つどころか
100%可能性は
あるまい

「やまと」が通常魚雷を
射ち尽くし〝核〟しか
持たなくなった瞬間から
日本は「やまと」に
強制する力を持ってはいない

後はおとなしく
海江田に従うしか
手はない……
そのことを一番
知っているのは
竹上総理のはずだ

総理は最後の
筋を
通したのだ
「やまと」に対し
日本の
国家としての
筋を!!

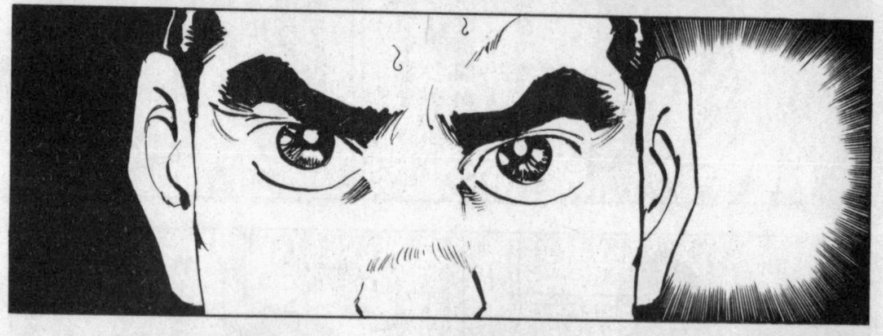

この
東京湾という
核のテーブルで

海江田は
いったい
何が
やりたいのだ!!

強制浮上
武装解除……要求
この局面
飛車角持ちの相手に
歩の一手じゃ王手は
かかるまい……が

VOYAGE 79 核のテーブル／END

ヤマト・ニ・
ツグ……
ピピッ

ニッポン・
セイフ・ハ

リョウカイ・ニ・
シンニュウ・スル・
キ・カン・ノ
ピ!

フジョウ・オヨビ・
ブソウ・カイジョ・ヲ
ヨウキュウ・スル

ホク・イ・35°
トウ・ケイ・139°・ノ・
イチ・ニ・
フジョウ・セヨ

VOYAGE 80

「やまと」浮上せよ

12月2日
10：00
新島沖――
司令！
指定海域
大島沖に
あと6時間で
到着します！
「やまと」の針路は
変わらず　深度も
1000以上です

要求どおり
浮上して
きますかネ？
どうかな……
この通信が傍受
されている以上
米軍の攻撃を受ける
のは目に見えている
……難しいな
米軍は
核を恐れず
攻撃して
きますか!?

今度は沖縄沖のように艦対艦ではなく攻撃機を仕立ててくる！
どんなチャンスも逃さぬよう万全の態勢でな！
ゴオ
103

米第7艦隊空母
「カールビンソン」

カ
ボイス
司令！

攻撃隊
「ブラックナイツ」は
大島沖現場海域に
12：00到着予定!!
離艦は順調に終了！
よし！

相手は 敵の
ド真ン中だろーが
浮上する潜水艦だ
油断するな

浮上を始めたら
攻撃だ
海が干上がるくらい
対潜ミサイルを
バラまけ！
ハッ

その場合
護衛艦の
抵抗があると
思われますが
ここで東京湾浮上を
許したら　世界中の
核テロリストから
アメリカは
的にされるぞ！
沈めるのだ
「やまと」
を！

「ブラック
ナイツ」
隊長機から攻撃隊
全機へ　北西に
コースをとれ

大島沖2000メートルで攻撃態勢に入る！
了解（ラジャー）

わが日本政府は「やまと」に対し非核3原則にのっとり

本日12月2日午後4時
大島沖への強制浮上及び

武装解除を求めております

「やまと」は浮上・武装解除に応じると見ておりますが
東京湾への入港を希望しており
STUDIO ALTA
東

東京湾の安全を確保するため
政府は本日
陸上自衛隊・東部方面隊の
出動を要請
千葉・神奈川を含む
東京湾岸一帯の警備に
あたります
都民の皆様には
冷静かつ沈着な
協力が得られることを
……

カチッ

米海軍の攻撃機が
現場海域に
向かったという
報告がありました
米軍は
激しい攻撃を
かけてくるものと
思われます

竹上総理
あと4時間で
浮上指定時刻
です

護衛艦に
交戦許可を
出して下さい

たとえ
お題目
だろうが
非核3原則は
今でもわが国が掲げる
閣議決定事項である!

非核3原則と
ハリキってみた
ところで……
それが日本の
お題目にすぎんことは
「やまと」も国民も
先刻承知だ

「やまと」は絶対浮上してくる！同盟を結ぶと表明した以上
その相手国の法律を無視しては条約も何も結ぶことはできん！

ですが総理「やまと」が浮上して武装解除に応じたら「やまと」は護衛艦もろとも
米海軍に……!!

そういう事態が起こらぬことを信じておる……！

「やまと」が大島沖に浮上しない場合の攻撃方法は?
米太平洋艦隊司令部

原潜による待ち伏せ攻撃しかないと思います
Suidō
Uraga
位置としては東京湾に入るために避けて通れない海域です　水深も500から600と浅く魚雷有効深度……

そこが「やまと」の東京湾侵入を阻止する最後のラインかと
攻撃方法は先制攻撃(サプライズ・アタック)しかありません

ですが　司令
なぜ「やまと」は
まるで攻撃してくれと
言わんばかりに浮上し
われわれに針路を
教えたのでしょう？
日本人
だからだ
核の威力を
信じておるのだ

たしかにあの艦は
過去　作戦的に見て
異常な行動を
とり続けています
ですが
これまで絶体絶命の
どの局面に至っても
切り抜けてきて
います
今回も……

何か
とんでもない作戦が
あるのでは
ないでしょうか

15
：
50
大島沖
87
海上自衛隊
80

やはり
護衛艦の兵力は
信用に足りんと
判断したか
海江田
！
となると
勝負は
相模湾口の
海底だな……！

右30°
米艦載機
6機編隊
高度1000！

見ろ
搭載能力一杯の
対潜弾を
抱えてるぞ……
オ

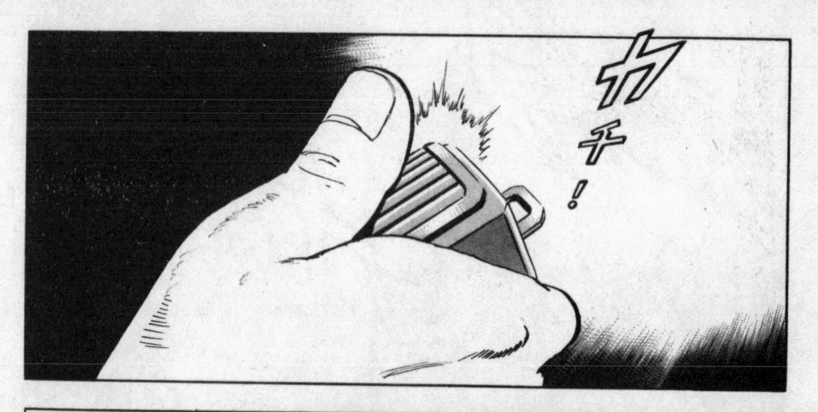
カチ!

浮上用意!!

これより

浮上航行で東京湾に入る

本艦は

これから先はどんな小さなミスも許されぬ肝に銘じておけ!

VOYAGE 80
「やまと」浮上せよ／END

巡洋艦
「フィリピン・シー」より連絡
「やまと」浮上中!!
大島沖
北緯35°
東経139°
ウオッ

探信音(ピンガー)です
「やまと」から
激しい探信音が
来ます!

ソナーに感!!
「やまと」
探信音を発し
ながら浮上して
きます!
112
海上自衛隊
112

VOYAGE 81
浮上

海江田 何をやるつもりだ!!
右舷30°
深度900 距離2000
！これは
司令 これはモールスです！
なんだと 解読しろ!!
ヨ

ボイスより「ブラックナイツ」へ「やまと」の攪乱戦法に惑わされるな！
!!
……ヨウジョウ・カンタイ・へ
コウシン・
メッセージ・No.・1

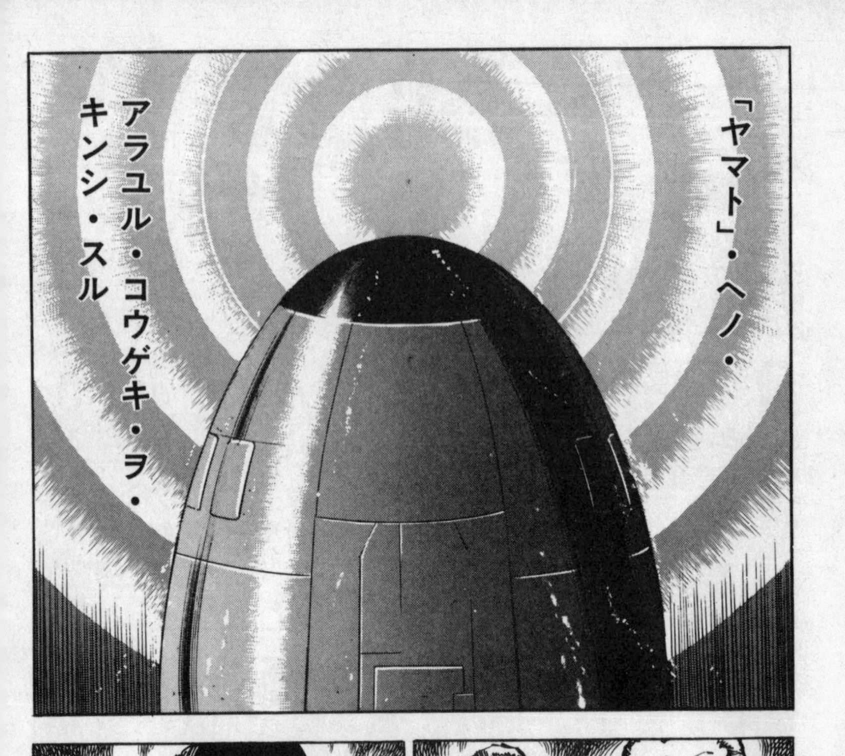
「ヤマト」・ヘノ・
アラユル・コウゲキ・ヲ・
キンシ・スル

司令!
これは核魚雷
発射宣告では!?
相手が悪かったな
「やまと」
この第7艦隊は
その情報戦略には
2度とノらない相手だ

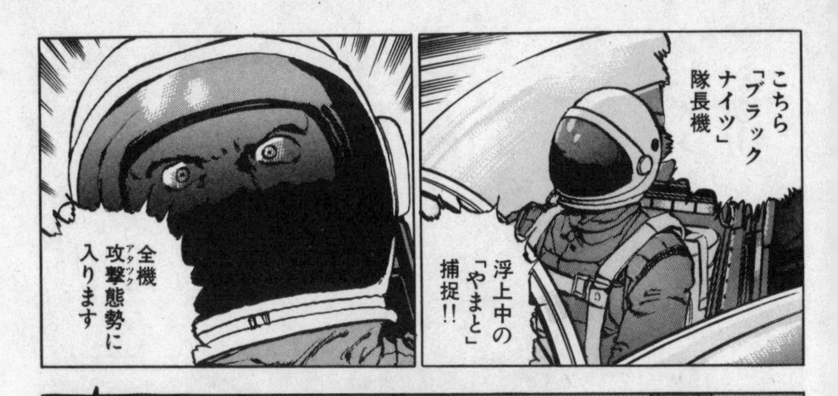
こちら「ブラックナイツ」隊長機
浮上中の「やまと」捕捉!!
全機攻撃態勢(アタック)に入ります

コウシン・No.・2!

ライアン・タイサ
ホン・カン・ナイ・ニ・アリ

司令
「やまと」添乗官(オブザーバー)のライアン大佐が生きているのでは
ライアン……!?
ライアン大佐は屈服を知らない軍人だ　生きているはずがない!

騙されるな！ライアン大佐はとっくに彼らの手によって始末されたと司令部から情報が入っている
これは　浮上中を攻撃させないための「やまと」の戦略だ！
ですが　司令この音波探信は日本もソ連海軍も
いや世界中が聞きました

もし事実だとしたら同胞を見殺しにしたとわが海軍が　世界中からの非難を！
「ブラックナイツ」「やまと」にぐだぐだお喋りをさせるな
その饒舌な口の中へ　対潜弾を叩き込め!!

了解(ラジャー)
左舷
トムキャット
6機!
司令部からの
交戦命令は
受けた!
全艦
ファランクス
射撃用──意!

「やまと」深度500

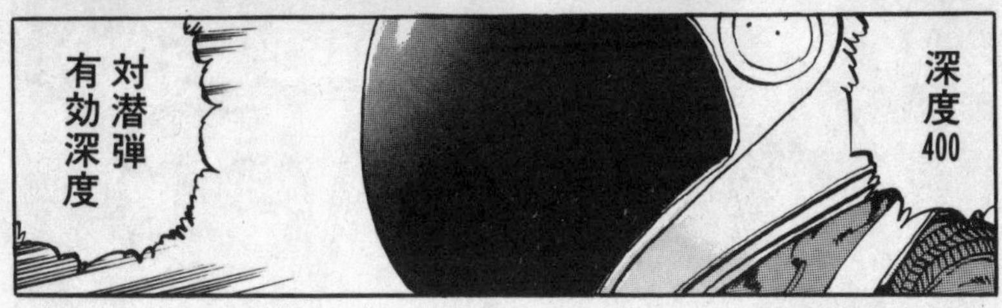
深度400
対潜弾有効深度

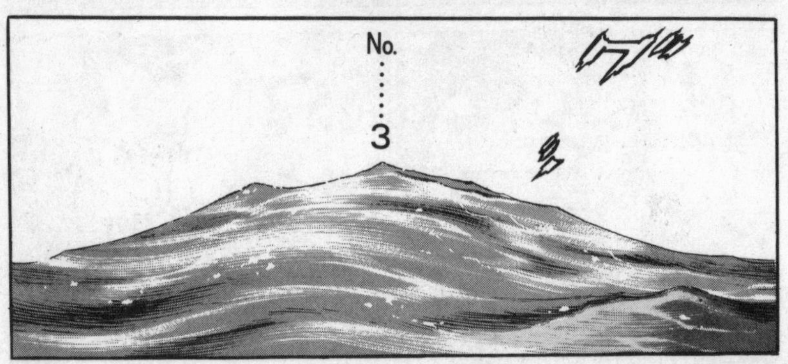
No.……3
グワ
ッ

ライアン・タイサ・ヲ・
フジョウ・ゴ・
ホン・カン・セイル・
ニテ・オメニ・カケル・
「ヤマト」

「ブラックナイツ」攻撃待機!!

低空にてライアン大佐を視認せよ!

了解(ラジャー)

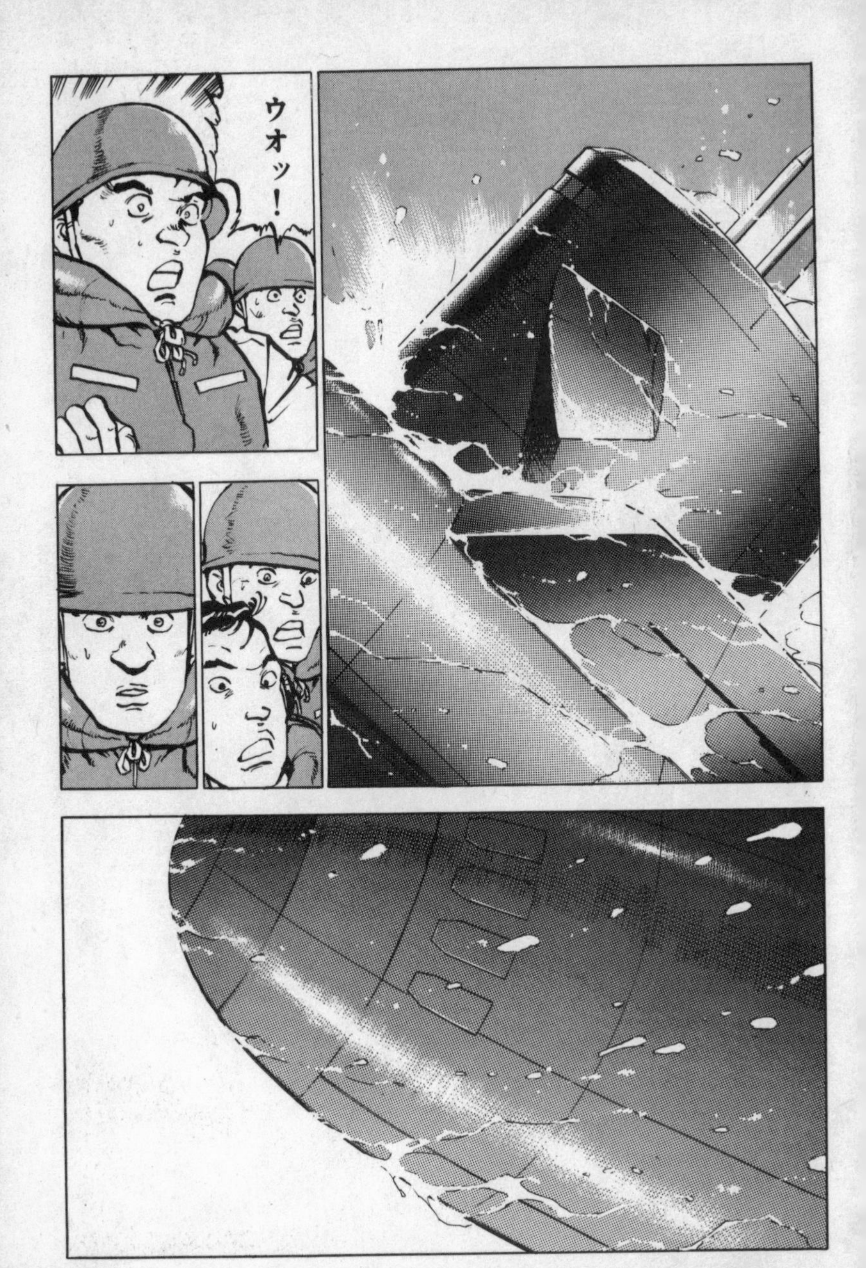
ウオッ！

艦橋(セイル)に人影が見えます!!

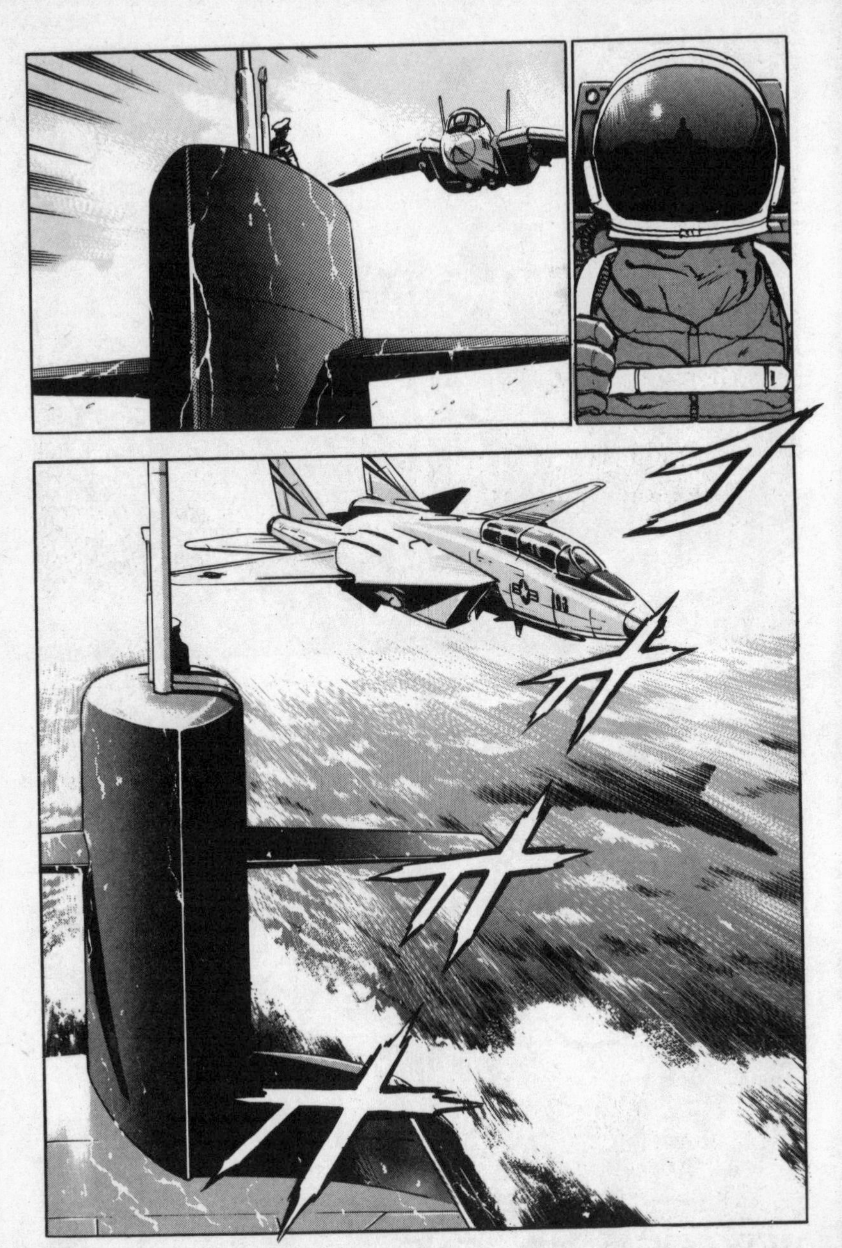
フォォォ

VOYAGE 81 浮上／END

総理!!「やまと」が浮上!
わが国の要求を受け入れました!

16:02大島沖北緯35°東経139°ピタリです!
ただちに「やまと」の武装解除を……!
油断はできんぞ まだトムキャットが上空を旋回している!
第2護衛艦群に命令だ

VOYAGE 82

武装解除要求

「やまと」艦橋上に軍人を視認

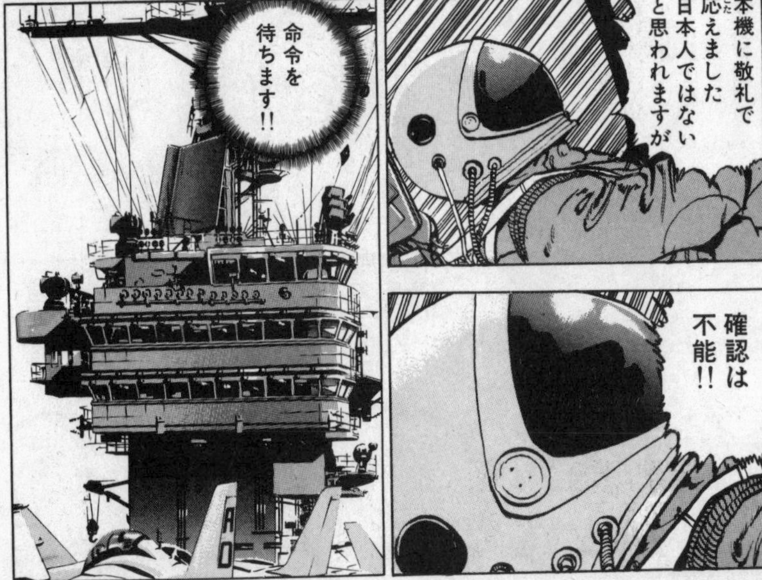
本機に敬礼で応えました日本人ではないと思われますが
命令を待ちます!!
確認は不能!!

ズーム・アップしろ
ライアンの肉声で交信でもない限り本人かどうか信用できん攻撃態勢を崩すな
この画像でもどちらとも言えません……
ハッ

司令「やまと」が電波を発信しています!
これはわが海軍との特殊秘話回路ではありません通常音声通信です

通常電波だと!?
交信メッセージNo.……4!!

こちら「やまと」
日・米・ソ各国
及び　国連本部に
告ぐ……

これから
指定する
各周波数に
各国が同調し
わが国との
通信回路を確保
常時開放する
ことを
要求する！

HFで各国に
通信回路の
指定……!!
どういうことだ
こんな通常電波で
各国ごとの
周波数を
指定しても
傍受されるだけ
で　無意味だと
思いますが

勝手に
傍受しろと
言ってるんだ
ただし
交信を要求する
相手国はどこかを
ハッキリと指定する
ということだ!

アメリカ
合衆国に告ぐ
通信周波数を
3MHz(メガヘルツ)に
セットせよ
米・ソ・日に加え
国連本部だと
……!?

ガッ
3MHzにセットだ!!

イエス・サー!!
ピ

次に日本国に告ぐ通信周波数を5MHzにセットせよ!

回線をセットしろ!
ハッ
魚雷の代わりに「やまと」はメッセージを打つつもりでしょうか

ソ連作戦教義(ドクトリン)に……
「敵の戦力の$\frac{1}{3}$は火力によって減じ次の$\frac{1}{3}$を通信によって無力化すれば残る$\frac{1}{3}$は自然崩壊する」という言葉がある
とにかくこの交信で「やまと」は第7艦隊の攻撃を寸前でストップさせたのだ
ガ!!!
ヒュウウウ
各艦に連絡!「やまと」を中心に輪形陣を組め!
ハッ

ザアアアア

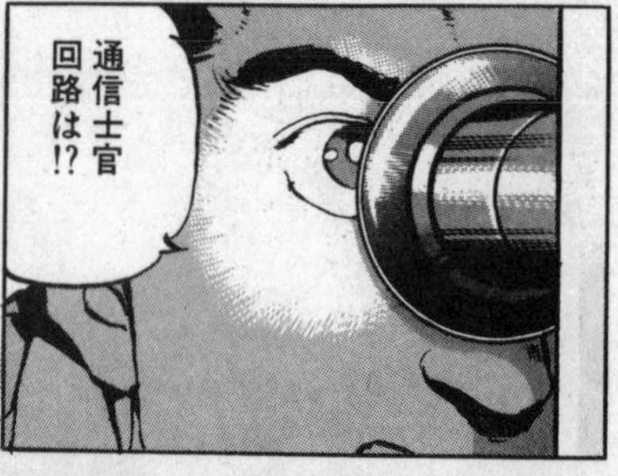
通信士官
回路は!?

カチ
今
国連本部とも
つながりました

ハッ 日・米・ソは
それぞれ
指定周波数(チャンネル)を確保
同調しました

いつでも
交信可能です!
よろしい……!

まず
アメリカ合衆国に
メッセージを送る
ライアン大佐を
通信室へ

ハッ
こちら
戦闘指揮所(CIC)

艦橋(セイル)の
ライアン大佐
通信室へ！

ピロピロピ

ボイス司令
さっそく
「やまと」から
コールです！
！

よし　回線を
開け　声を
スピーカーに
ハッ
……私は
アメリカ海軍
デビット・
ライアン大佐だ
!?

わが
アメリカ合衆国
海軍　及び
合衆国政府に
この声が
届いていると
思う……

私は
死亡したのでも
幽霊でも　また
捕虜になった
わけでもない
第7艦隊から派遣
された「やまと」
添乗官として
現在も　その任を
継続中である

独立国「やまと」の
私への処遇は極めて
友好的 かつ
紳士的である
当然 わが国の
友人諸君は 私が
「やまと」乗員による
脅迫を受け
この通信を行って
いると疑うことを
推測する

「やまと」が
東京湾に
入港後

「やまと」元首
海江田艦長の
許可を得ている

私はその任を終了し
報告のため帰国する
つもりであり
また

私の言葉が
虚偽か真実かは
「やまと」の
東京湾への入港
とともに

明らかに
なるだろう

ライアンは
脅迫されている
のだ!!
以上(オーバー)!
ガ
そうでなければ
発狂したか!?

カチ

これで　米海軍が攻撃を仕掛けてきたときは米太平洋艦隊は同胞を見殺しにしたと全世界に公表したことになる

次は日本国へ回線を開け！
ハッ

司令「やまと」から交信です！
なに！

よし回線を開け！
ハッ

第2護衛艦隊司令
沼田一佐どの
この通信回路を
日本国首相へ
つないで欲しい！
！
総理に！
司令！
よかろう……
首相官邸に
つなげ
ハッ
なに
「やまと」から！

竹上総理……
「やまと」元首・
海江田です
わが国は日本との
友好条約締結に
向けての意思表明
として
貴国の
指定海域に
浮上した

わが艦を国家として
処遇してくれた
貴国の政治的判断に
敬意を表する

なお 貴国からの
友好条約締結条件に
本艦の武装解除が
含まれているが

それがいわゆる
核兵器を指す
ものであれば
わが国に応じる
義務はない！
!

わが国は　軍事力のみによって構成される戦闘国家である

武装解除はわが国の存在を自ら否定するものである
もちろんわが国は

日本政府が非核3原則を掲げていることを承知している
だが核を「作らず」「持たず」「持ち込ませず」という非核3原則は貴国自身が認めている通り　原潜自体には抵触しない

そしてわが国は国家として少なくともアメリカと同等の対応を日本に望んでいる

搭載兵器への非核3原則の適用についても同様である
待ちなさい海江田くん

日本は 米軍の「核を持ち込まない」という言葉を信用しているのだ
互いの信頼を欠いては友好条約など結べないではないか!
もちろん貴国の論理は充分に理解している

ではわが国も貴国の手続きに従って入国しよう

日本政府の核武装解除という要求に対し
「やまと」の公式回答を申し上げる
わが国は核兵器を所有していない!

VOYAGE 82 武装解除要求／END

公式回答を表明する！わが国は核兵器を所有していない！
よって東京湾への入港許可を要請する！
VOYAGE 83
親善大使

総理!!

入港を許可してはなりません これは嘘です!
米軍の情報では「やまと」は実戦装備のまま出港しています!
積んでいるのは50キロトンの核ですぞ!

だが公式回答で「ない」と言っておるのだぞ！
あたりまえだ東京湾入港を希望してる以上「ある」とは言うもんか！
武装解除しろなどと言ったからだ
持っとるに決まっとる！
拒否すれば先行き苦しくなりませんかな？
なに!!

ここで「やまと」の公式回答を否定すれば
今後 米軍に対しても同様の武装解除及び入港拒否で押し通さなければならなくなりますよ
その力が現在わが国にありますか

ここは公式回答のみを信じて行動すべきである!!

し　しかしここまでコケにされて!!

何よりも優先させねばならぬことは
今は「やまと」との信頼の絆を固く結び安全を確保することだ

もし「やまと」が公式回答で〝核を所有している〟と言ったならば
非核3原則を破棄しない限り日本は「やまと」と一戦交えなければならなくなる!

第1・第2護衛艦隊群の全火力を投じて……相模湾でだ！
海江田がその戦闘を回避するためには
この公式回答が最も正しい選択だ！

ここは「やまと」を信頼し 入港を承諾すべきである

日本政府より
「やまと」へ……
通信を送る！

貴国の
東京湾への
入港を許可
する！

わが政府は
貴国の公式発表に
基づき
武装解除要求を
取り下げたい！

そして……

同盟会議を設定するにあたり日本から
提案がある!

大統領日本政府が「やまと」の入港を許可しました!

武装解除と意気込んでみても日本はこれまで懐柔することが外交だと信じて行動してきた
予想通りだ
ライアン大佐の件は いかがいたしますか?

一人の海軍士官の犠牲と　わが国に対する軍事的挑発行為は比べられません

カイエダが真に狂ったテロリストならば　問題解決はシンプルだ

堂々と東京湾に入港されれば　狂った合衆国は核テロリストに屈したと公表することになります

は……!?

この事件は「シーバット」の脱走という　初期の純軍事的段階において処理すべきであった
だがもはやカイエダは核テロリズムにどうわが国が対応するか　否応なく全世界の注目を集めさせている!

カイエダが
核テロリストならば
なぜわが国の西海岸(ウエストコースト)
やハドソン湾(ベイ)では
なく
彼が軍事同盟を
希望している日本の
東京湾を選択
したのだ?
ガバッ
もう一度
彼を正常で
かつ優秀な軍人と
仮定して
あらゆるデータを
洗い直し(クリーニング)するのだ!

その
提案とは
総理?
わが国の大臣を
貴国へ派遣したい
親善大使として

!
親善……大使!?

友好関係を
成立させる意思の
表明として
受け入れて欲しい
……

友好条約締結の
ために
この提案を
貴国は
受け入れる
べきだ!

よろしい総理
喜んで入国を
許可しよう

浜本運輸大臣！
ハッ
ハッ
用意はできて
おります！
大使として
至急 市ヶ谷から
大島に
飛んでくれ！

充分な時間はないが
海自の専門家から
核魚雷の
弾頭起爆装置の
レクチャーを
受けるように
すでに
すべて完了して
おります
ハッ
ご心配なく
総理
よろしい！

17：02
市ケ谷駐屯地
メイン・ローター始動！
離陸（テイク・オフ）

防衛庁長官！
東京湾岸での
都民の様子は
どうか
ハッ 本日午後2時
東部方面隊
第1師団
第1普通科連隊
はじめ 9000人
が出動!!

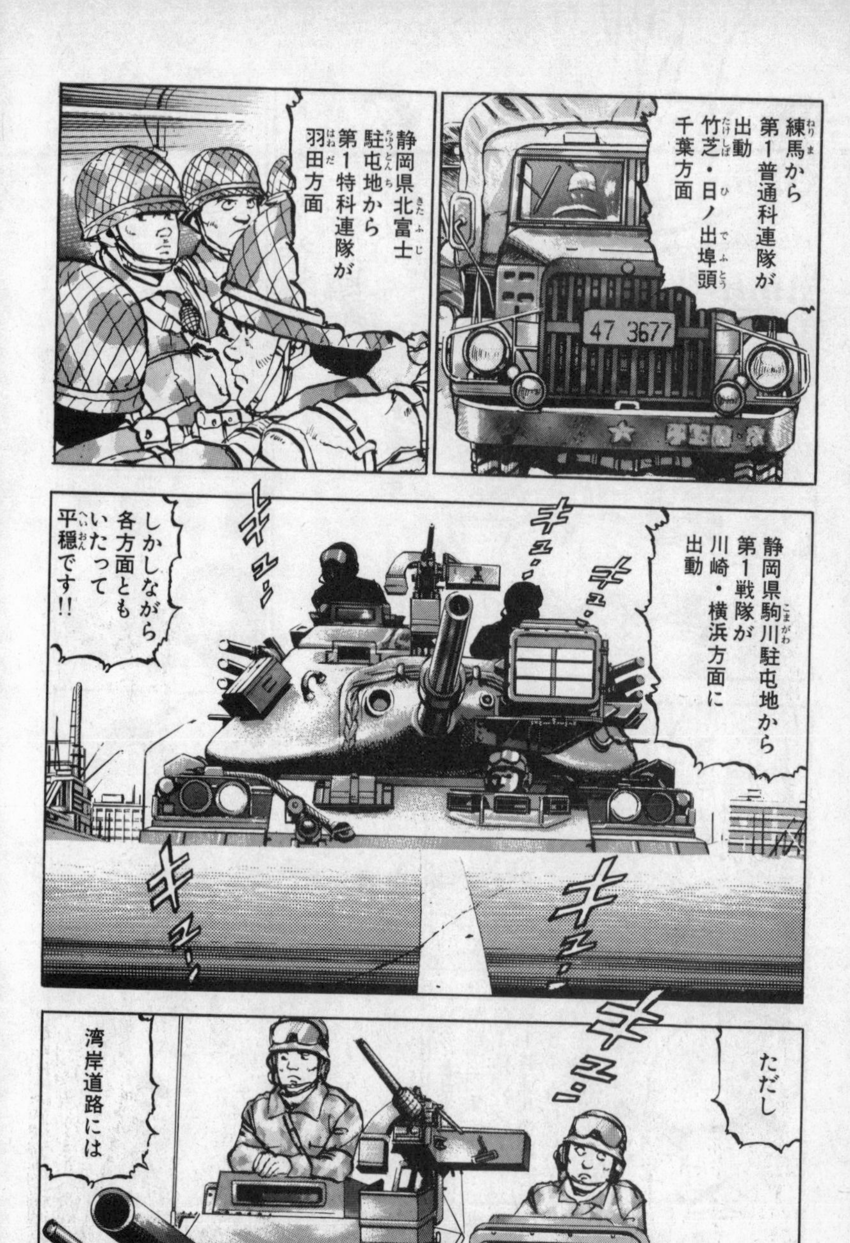
練馬から
第1普通科連隊が
出動
竹芝・日ノ出埠頭
千葉方面
静岡県北富士
駐屯地から
第1特科連隊が
羽田方面
47 3677
静岡県駒川駐屯地から
第1戦隊が
川崎・横浜方面に
出動
キュ…
キュ…
しかしながら
各方面とも
いたって
平穏です!!
キュ…
キュ…
キュ…
ただし
湾岸道路には

ヤジウマと
おぼしき
車輌と群衆が
あふれ

朝夕の交通ラッシュ並みと報告が入っております！

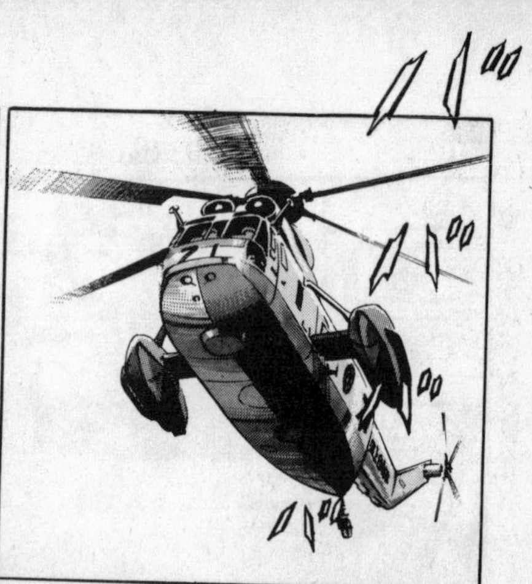

核を持った原潜が接近しているというのに東京は混乱がほとんど見られない

正確な情報がパニックを抑えているのだ

海江田という人間は何が現在有効かということを知りぬいている

この情報時代に現れたケタはずれの戦術家かもしれんぞ

ナワ!!
「やまと」に
日本の
親善大使だと!!

ライアンはジャブ
だったが
これは……
ボディーブローに
等しい……

大統領……
日本政府の大臣が
同乗したとなると
やっかいなことに

竹上首相……
とんだ狸だったな

カイエダの
打つ手は着々と
効力を増しつつ
ある
国防省に
情報(データ)の洗い直し(クリーニング)を
急がせろ!

17:50
大島沖
浜本大使の
ヘリが
「やまと」上空
500メートルに
到着!

高度を
下げます
300メートル
停止位置(ホバリング・ポジション)を
確保!

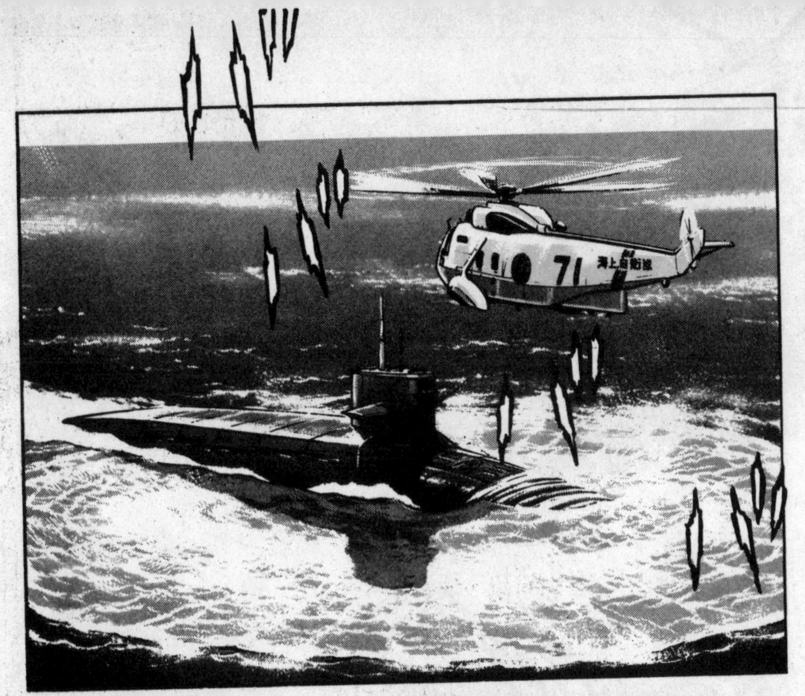
71

速度5ノット
針路修整0—5—8

カチ
親善大使を丁重にお迎えしろ!
ハッ

速度5ノット
針路修整0—5—8
よし

71
海上自衛隊

着艦よし!
運輸大臣
浜本啓介です
日本政府の
親善大使として
入国を許可して
いただきたい

お待ちしておりました
わが国へようこそ!
「やまと」元首
海江田四郎艦長が
待っております

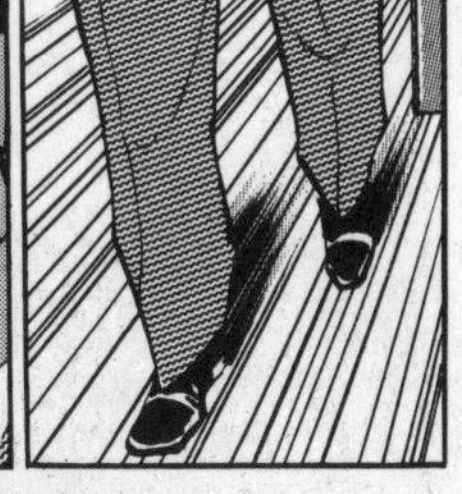

大統領

国防省からの機密文書です
!

データ解析の結果カイエダについて興味深い解答が得られました

海江田の思考が正常で
しかも核によるテロ行為以外の
目的を持つと仮定した場合……

脱走以後の彼の行動は
状況に応じて正確無比であり
行動が無目的な様相を呈した
ことは一度もない

二度にわたる浮上を　戦略上の
目標通過点として考えるならば
彼は目標達成のために　最も効率
のよい最短コースを選んでいる

現時点までの戦闘が　海江田
にとって必要不可欠なもので
あったと仮定した場合
東京湾入港の真の目的は
日本との友好的な軍事条約で
あるとは推論しにくい

むしろ　日本の軍事力と対等に
併合することに　彼の目的があり

同時に　国連への通信回路の
確保は　加盟159ヵ国への
軍事同盟の呼びかけに使用され
る可能性が極めて大きい

当情報局の結論として……
海江田の最終目的は

the establishment of
ultranationalistic militaly
in the world-wide basis.

〔世界的規模の
超国家軍隊の創設にある
と推論される〕

VOYAGE 83 親善大使／END

海上自衛隊
71

「やまと」より
日・米・ソ
および国連に
告ぐ!!

VOYAGE 84 超国家軍

12月2日
18：00　わが国は
日本国政府からの
親善大使を……
わが国内に
無事　お迎え
した!!

魚雷発射管室はこのフロアの隣の区画か
ということはこの隔壁の向こうに……

チャ
ゴ
ゴ
ゴ
核魚雷がセットされている可能性が……！
浜本大使 海江田艦長がお呼びです
士官室へおいで願います

わかりました
荷物を
整理したら
すぐに……!

しかし 士官はじめ
乗員75名の意思が
これほど見事に
統一できるもの
なのか……
彼ら全員に
命も故郷も
捨てさせるには
人間的魅力のほかに
共通の目的が必要だ

具体的で
実現可能な
大目的が!!
いったい
どんな目的だと
いうのだ!

日本は墓穴を掘ったな!!

親善大使の派遣はもはや逃げられぬ物的証拠だ!!

日本が申し出て「やまと」がスンナリ承諾した

日本と「やまと」の軍事密約以外にこの事実は説明がつかん!
言い逃れできるならやってみろ!!

言い逃れする
必要は
ない！

「やまと」の接近により
今もっとも核の恐怖に
さらされているのは
わが日本だ！
竹上総理は
百の批判を恐れず
和をもって
「やまと」の核の
暴発を抑えたのだ

なにい!?

違う!!
違わん！ 現実に
核が発射されても
おかしくない場面を
回避できている！

密約とか騒いでいる間に
「やまと」からの発信で
事件は全世界的な問題へと
発展しているのだ！
この国連の場で なぜ
「やまと」とは何かを
追及しないのだ！
話を
すり換えるな
！

親善大使の派遣は
核の暴発を
抑えるためではなく
米・ソの圧力を
かわす作戦ではないか!!

無事に東京湾へ入り
軍事同盟の正式調印に
ことを運ぶための
作戦だと判断する!

無事に東京湾に
「やまと」が入って
何が悪いのだ!?
それとも東京に
いる全ての外国人
を巻きぞえに
ドカンとやれと
言うのか!

「やまと」の
東京湾入港が
密約でないことを
証明するため
日本は

「やまと」との交渉を
全世界に　全て
公開する！
どこの国の
プレスだろうが
拒否しない！
勝手に東京湾に
つめかけて
きてくれ！

われわれがもっとも
知りたいのは
「やまと」が　何を
目的にしているかだ！
それは日本が
一番知っている
ことじゃ
ないのか!!

脱走以後の彼の行動は
状況に応じて正確無比であり
行動が無目的な様相を呈した
ことは一度もない

二度にわたる浮上を
戦略上の目標通過点として
考えるならば
彼は目標達成のために
最も効率のよい最短コースを
選んでいる
……むしろ
日本の軍事力と
対等に併合することに
彼の目的があり

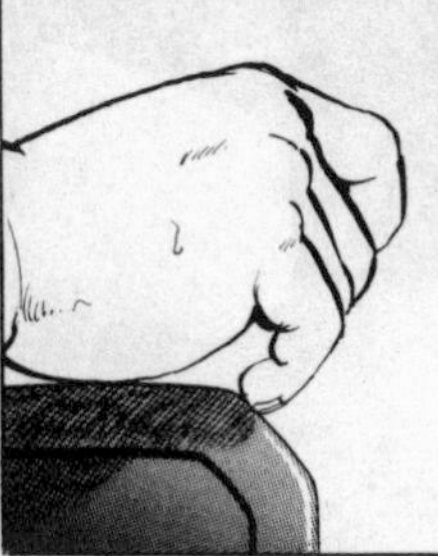
世界的規模の
超国家軍隊の
創設にあると
推論される

超国家……
軍隊……

救済されて
きた……！
人類の歴史において
政治的自由は実力の
バランスによって
のみ
軍事力の
一極集中によって

人間の何を
救済し得るというのだ
新たなる超国家軍隊は
新たなる軍事衝突を
招くだけだ！

「やまと」
……！

きさまと自衛隊が
ドッキングすることで
世界の軍事バランスの
何が変わると言うのだ！

カ

大使の入国で
「やまと」と日本は

世界に対し
友好条約締結への
確実なる一歩を
表明したことになる

私の本艦への入国で東京湾入港時の安全はある程度確保されたのではないかと喜んでおります

ところで日本と友好条約を結んであなたは一体何をするつもりだ!?

わが国は戦闘国家だ日本に及ぶ軍事的脅威に対しての効果的な防衛力を提供したい

そ

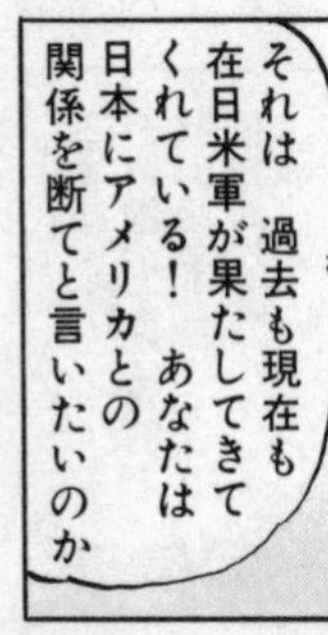
それは過去も現在も在日米軍が果たしてきてくれている! あなたは日本にアメリカとの関係を断てと言いたいのか

日本政府の
判断に
おまかせする

わが国は
米・ソ太平洋艦隊をも
撃破し得る戦闘能力を
持っている
これが事実だ

その貴国と
友好条約を
結ぶことは
日本が世界一の
軍事大国に成長する
ことになる!

日本は……
わが国が友好条約を
結ぶ相手として
理想的な国だ

勤勉で辛抱強く
多少　判断の
甘さはあるが
おおむね真面目だ

経済力は　次世紀の
リーダーたるほどに
成長しており……
宗教紛争とも無縁

それに　何よりも
世界第3位の
軍事力を
有している
わが国は
軍事大国になる
ことを　望んでいる
わけではない！

わが国と
同盟を結べば
アメリカに
頼ることなく
防衛が可能だ

日本が
真に独立できる
チャンスだと
思うが
日本が
望んで
いるのは

貴国が平和裡に自衛隊もしくは第7艦隊の指揮下に戻り　日本と貴国に安全が保障されることだ！
そのためなら日本はどんな援助も惜しまないだろう！

あなたも日本人なら
理解できるだろう
あの敗戦のショックから
日本にはぬぐいがたい
軍事そして核に対する
アレルギーが育った！
それゆえ憲法第９条
〝戦争の永久放棄〟を
国家存亡の命綱として
守ってきたのだ！

VOYAGE 84 超国家軍／END

VOYAGE 85
相模湾深度600

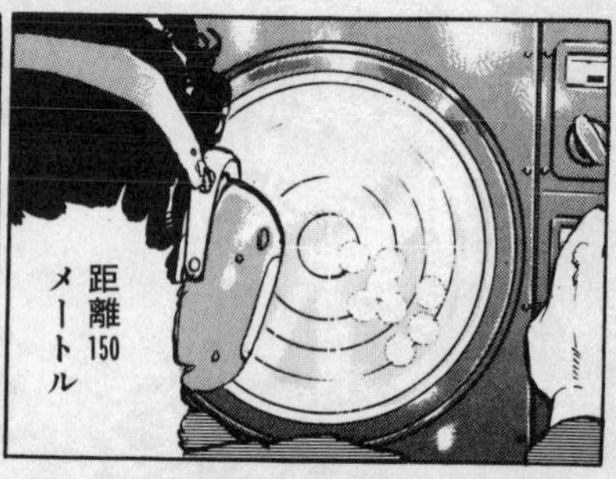
距離150
メートル

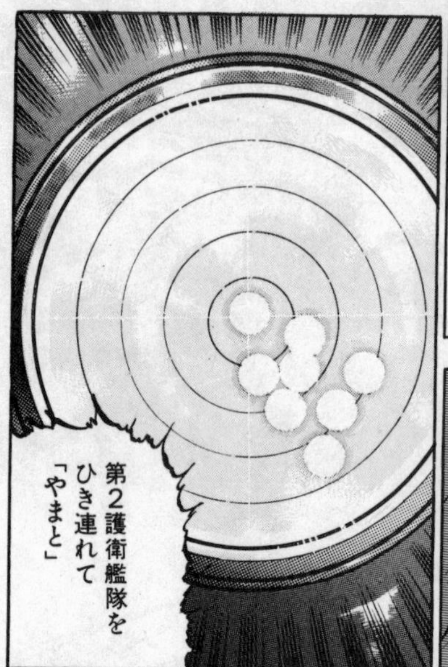
第2護衛艦隊を
ひき連れて
「やまと」

針路0—5—5
速力20ノット
変わらず

真上を
通過
します!

用意周到な艦長だ
さっそく
世界に向け
打電したか

情報を
魚雷代わりに
矢継ぎ早に
発信することで

米・ソの自国への
攻撃に対する
保険を　次々に
かけている

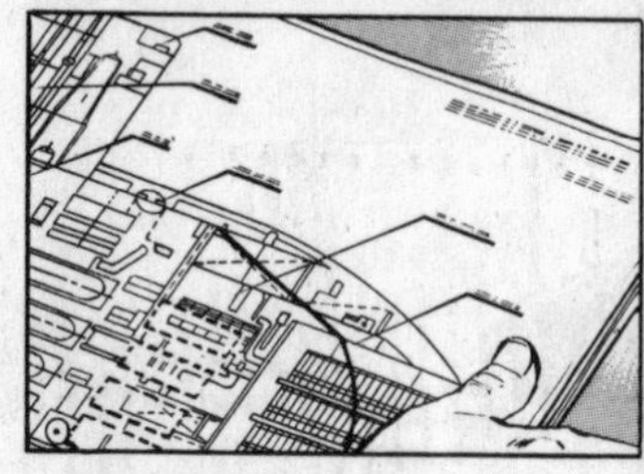

この部屋は
戦闘指揮所下の
居住区にあたる

右に旗艦
「はるな」
左に
「たかつき」以下
第1護衛艦隊
輪形!!

中央に
「やまと」!!

ゴォー
ザザザ
ゴォォ

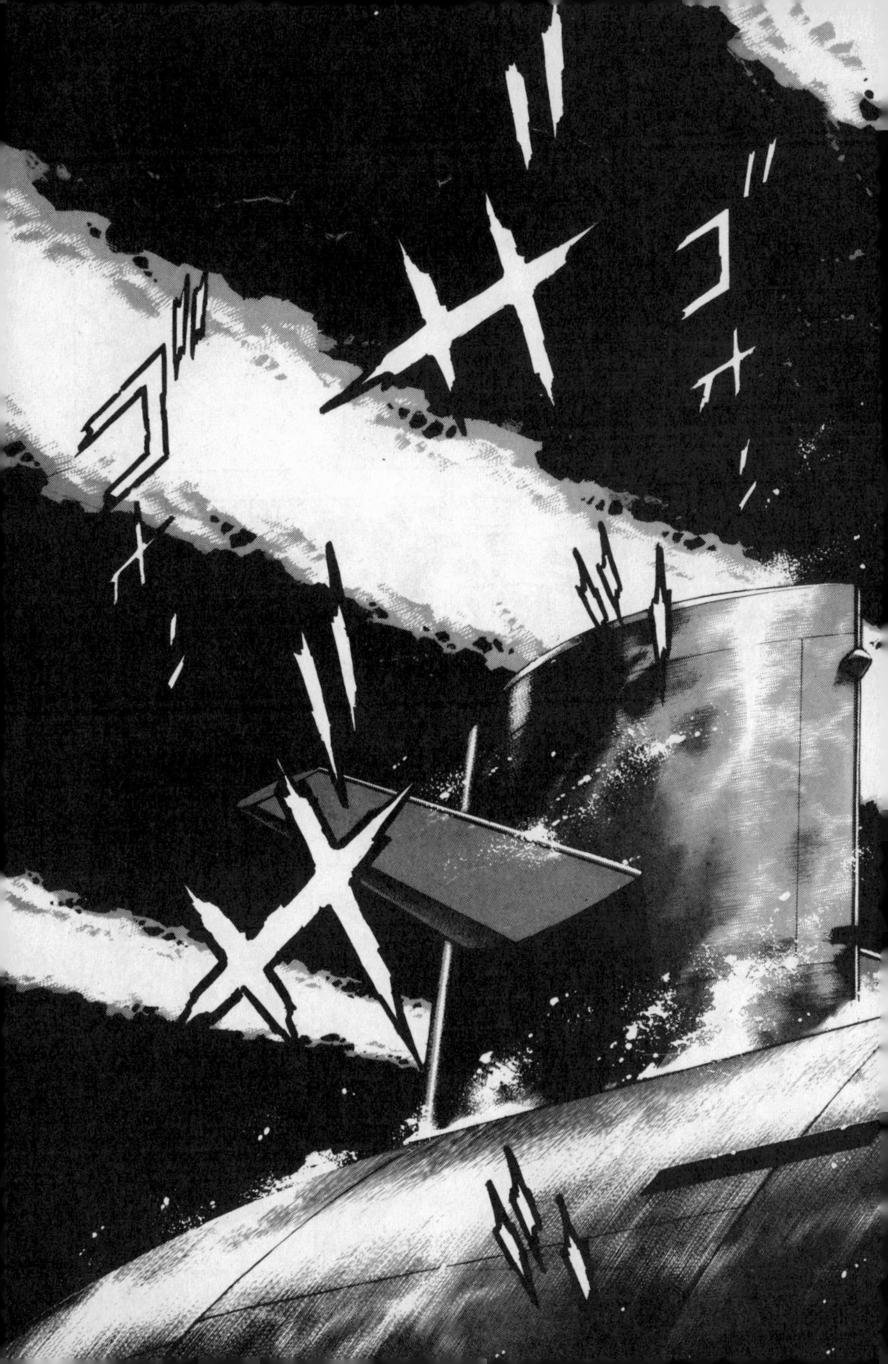

ヤロウ
大名行列おっ立てて
お国入りしようってのか
さすが「やまと」
浮上航行とは
思い切った手を
打ちましたネ

おそらく 上空から
マスコミのTVカメラが
丸裸にしますから
米海軍も空からは
思い切って攻撃が
できない！
対潜防止網だ！

ハッ!?
海江田は
東京湾に
張られるかも知れない
対潜防止網を 最も
警戒したんだ！

だが
このまま進めば
あと3時間で
相模湾から
深度が
600を切る
浦賀水道口だ
相模湾
小田原
相
米海軍は
ここに潜水艦を
集めてる!
!
対空攻撃と
対潜防止網はかわしても
潜水艦隊の雷撃は
かわせまい

いますかネ
潜水艦が?
エンジン始動
針路0―5―5
エンジン始動
針路0―5―5
よし!
空からは攻撃できんと
言ったじゃねーか
米海軍が「やまと」の
東京湾入港を阻止する
生命線(デッド・ライン)はそこだ!
30ノット
全速
30ノット
全速

艦長
確認しておきたいのですが

本艦は「やまと」の入港をサポートするんですネ?

護衛艦隊を守るんだ!

ゴオオ

18:30
北緯35°東経139°
相模湾洋上――

ピ
ピ
ピ
ピ
第1護衛艦群
旗艦「しらね」

ピ
海底のどんな音も聞きもらすな!

もし潜水艦が攻撃準備しているなら魚雷管の注水音が聞こえるはずだ

第1護衛艦群
司令
山岸三郎一佐

司令 館山に陸上自衛隊が設営中の対空陣地が見えます
低空域地対空誘導弾部隊か

洋上では護衛艦湾岸には対空ミサイル部隊がガード

米軍も
空から攻撃は
できまい
あるとすれば
潜水艦による
攻撃だが……！
航空自衛隊
航空自衛隊

大統領
相模湾で沈底中の
原潜部隊に
指示を

19:30までに
中止命令を伝達
しなければ
そのまま攻撃命令に
なりますが

米軍指揮下でしか
動いた経験のない
軍隊と　たかだか
原潜1隻……だ

は？

「やまと」と自衛隊が
同盟を組んでも
何もできはしない

竹上総理に
ホットラインを!

総理
ワシントンから
ホットライン
です!

ハッ

チャ!

竹上……です!

総理
「やまと」は護衛艦の
サポートを受けて
東京湾を目指し
全速で航行している
ようだが
わが海軍は相模湾に
パール・ハーバーから
出撃した
原潜部隊(サイレント・サービス)を配している

ハ!?

これで
「やまと」が東京湾へ
無事入港できれば
「やまと」と日本との
同盟が成立する!
そうですな
総理!?

日本政府は
親善大使を
「やまと」へ派遣し
同盟の第一歩を
印した……

さよう
そのために
日本政府は
「やまと」を
迎えるのです

それは　日本が
日米安保条約を解消し
「やまと」との
軍事同盟を選択したと
受け取ってよい
わけですな

そ……
そうではない
あくまで事件の解決
安全への最良の
手段として

わが合衆国は
「やまと」の
東京湾入港を　日本の
わが国への明確な
敵対行為として
受け止めるが
よろしいか
大統領
そうでは
ありません

大統領!!
待って下さい
大……

ガ・
チャッ

143
ピッ

カ
アクティブ・ソナーに感!!
ソナーより艦橋へ
右舷30°距離600に
潜水艦沈底!!
深度600!!
やはり米潜水艦が!!

艦数5!!

沈黙の艦隊[8]/END

「沈黙の艦隊」第8巻は、'90年のコミックモーニング20号、21・22合併号、および23号から31号に掲載された作品です。

編集部では、この作品に対する皆様の御意見・御感想をお待ちしております。

また、今後「モーニングKC」にまとめてほしい作品がありましたら編集部までお知らせ下さい。

東京都文京区音羽二丁目十二番二十一号
〈郵便番号一一二〉
「講談社コミックモーニング」編集部
モーニングKC係

モーニングKC—227

沈黙の艦隊⑧

一九九〇年十二月 十八日 第一刷発行
（定価はカバーに表示してあります）

著者 かわぐちかいじ
発行者 三樹創作
発行所 株式会社講談社
東京都文京区音羽二—一二—二一
郵便番号 一一二
電話 東京（〇三）九四五—一一一一（大代表）

印刷所 大日本印刷株式会社
製本所 株式会社 光洋製本所

ISBN4-06-102727-1（コモ） Printed in Japan